간이역에서 간이역으로

정민기 시집

시인의 말

우주에서 조업을 마친 별이
어딘가에 정박하려고
저만치에 별똥별을 던지고 있다.
빛의 간이역이 보인다.

2024년 2월
정민기

차례

평범하지 않은 주말

주말 푸른 밭에 앉아 잡초를 매는 낮달
해는 오래전의 기억을 생각하느라
햇살을 엮고 있다
날은 저녁으로 사정없이 곤두박질치고
눈물이 되어 알알이 맺히는 새의 노래
엮어진 햇살이 어쩌지 못해 떨어지고 있다
내게 너무도 가혹했던 시절은
이내 지친 듯 저만치 물러나 앉아 있다
펜을 들고 별을 반짝거리던 지난날
고드름처럼 자라면서 녹아내리기도 했다
그날 밤은 내게도 환한 달이 떴다
구름 침대에서 꿀잠을 자고 싶기도 한데
내 몸속의 핏줄은 산불처럼 타오른다
동백나무가 통꽃으로 눈물을 흘릴 때면
그리움도 노을처럼 아름답게 물들었었다
실컷 또 한 계절이 울다가 사라져 간다
평범한 것 같아도 전혀 평범하지 않은 주말
폐허가 되어 푸른 밭처럼 잡초만 무성하다

누가 신비의 달마도에 홀로 다녀갔을까

가부좌를 틀고 앉음으로 손에 붓을 들고
파도가 해변을 핥는 듯 그리는
달마도는 무인도
부서진 물거품은 외딴곳에 모인 채
푸른 기운을 나르는 바닷바람에서
불어 터진 짜디짠 생각이라고는
단 몇 줄로 몰려오는 물결에 기겁한다
밭고랑처럼 굴곡진 파도를 어선이 넘나들면
겨울 바다의 시선이 한 곳을 따라 흘러가도
눈꺼풀 없는 얼굴처럼 야릇한 섬
문득 던져 놓은 통발에 요동치는 날엔
먹구름에서 쏟아지는 비처럼 내릴 것이다
무상한 삶보다
먼 수평선 언저리에 다가서고 싶지 않으니
이 고비만 지나고 나면
질리고 질려도 따스함이 있는 해가 뜬다
그건 너무도 어울리는 보금자리
가까이하기에는 머나먼 낮달 같은 그 사람
제철에 낚아 올린 물고기처럼 싱싱하며
신비의 달마도에 홀로 다녀간 그 사람

내 오래전의 기억

마른하늘을 익은 곡식처럼 거두어들이고
비를 틀어 그 음악을 듣는 동안
내 오래전의 기억은 모종삽을 들어
금방이라도 쓰러질 듯한 풀꽃을 심는다
증기 기관차의 기적 같은 기적은 오지 않고
키 큰 나무만이 앙상한 손을 흔들던 겨울
기다림은 날아간 둥지처럼 텅 비어 있다
거리에는 낙엽이 모여 노숙을 즐기고
서녘으로 멀어진 사랑은 눈시울이 붉어진다
뜨거움은 밤으로 갈수록 기대고 싶다
먹물 한 방울 떨어뜨리기라도 한 듯 어둡다
달력 한 장씩 찢을 때마다 내 오래전의
기억이 사무치게 그리워지기도 하는데
강가에 앉아 낚싯대를 드리우고
강물을 펼치는 낚시꾼을 본 적이 있다
별은 희망 없이 반짝거리지는 않겠지만
철새가 하늘에 등을 기대는 것처럼
가물가물한 기억 속에 기대고 싶은 나무
한 그루 서 있다면 바라는 것이 없다
종이 같은 낮달 떠서 지그시 내려다보는

낙엽의 나날

내가 그를 오랜만에 본 날,
그는 빛바랜 모습으로 낯선 남자의 신발을
구두닦이의 솔처럼 핥고 있었다
중얼거리는 암호라도 되는 듯 바스락거렸고
점멸하는 것처럼 조금씩 빛을 잃어갔다
흔해 빠진 햇살과 같이 추억은 바람이 되어
실망한 듯 어디론가 제철 지나기라도 한 듯
맥없이 불어 가고 있었다
가지런하게 서 있는 대나무가 웅성거리고
길고양이는 무슨 생선이라도 되는 듯
지루함을 잊으려고 그를 쫓아가고 있다
결국 추억을 코앞에서 놓치고
다음 추억을 기다리며 늙은 나무처럼
주름진 생각으로 처량하게 가만히 서 있다
어두운 보따리에서 새어 나오는 별빛
두 손 가득 받아 놓을 수도 없어 넋 놓고
하늘만 애처로이 올려다보고 있다
그의 마음 내게 옮긴 듯 바스락거린다

기형도 문학관

경기도 광명시 오리로,
종이달에 형광등을 밝히는 기형도 시인의
문학관이 있다, 떠난 희망은
낡거나 뿌연 안개로 가려지지 않았다
하나 남은 낙엽마저 떨어뜨리며
모든 눈물을 애써 삼키는 겨울나무 한 그루
차가운 땅바닥을 짚고 힘겹게 일어선다
기형도 시인의 시에 알 수 없는 힘이 있다
얼음보다 더 시리디시린 기억 한 줌
잿가루 같은 진눈깨비로 뿌려진다
그는 청춘을 남겨두고 떠나면서까지
독자들의 가슴 한편에 푸르디푸른 기운을
유물처럼 덥석, 안겨주었다
발길 닿는 곳마다 그의 체온이 전해지는 듯
연탄구멍 반짝거리는 별처럼 뜨겁다
함박눈처럼 내려와 시를 전하고 녹아내린
기형도 시인의 시 몇 편에
한동안 침묵으로 꾸역꾸역 되새기고
기억하고자 한다

느티나무 쌈밥집

서울특별시 영등포구 양평로22길,
샌드위치 맛집 에그드랍 선유도역점 골목길
카페 피크니크 선유도점 바로 옆

선유도 구경하기 전 엎어지면 코 닿는 거리
출출한 배를 채우기 좋은 느티나무 쌈밥집

쌈밥, 쌈밥, 쌈밥, 쌈밥
고급스러운 춤을 추는
쌈밥의 여인이 있을 것만 같은 곳

쌈밥으로
느티나무 한 그루처럼
배 속을 듬직하게 채운다

소버섯불고기 쌈밥, 돼지불고기 쌈밥
쌈 채소 한입 가득
보름달이 둥실둥실 떠오른다

외롭게 보이지만

너는 지금 쌈밥을 먹으려고 한다
기형도 시인의
'입 속의 검은 잎'을 펼쳐 놓고

명왕성을 퇴출하고 풍경 소리를 내는 태양계

같이 데리고 놀던 명왕성을 퇴출하고
뜬금없이 풍경 소리를 내는 태양계
돌고 도는 지구라는 녀석 때문에
슬픔도 잊고 바쁜 나날을 보내고 있다
벗어서 던진 낮달을 올려다보다가
어딘가에서 눈물을 흘려 잃어버렸다
연인들은 구름처럼 들떠서
손 꼭 잡고 어디론가 걸어가고 있다
웃음소리에 꽃봉오리가 열린 것처럼
향기가 한꺼번에 쏟아져 데굴데굴 구른다
뜻밖에도 거꾸로 역류하는 마음
복잡한 어둠을 뚫고 별들이 반짝거린다
길 위에서 허물을 벗어내는 가로등
환한 적막을 통째로 터널이 삼키고 있다
순식간에 어둠이 범람하여 밀려든다

노래가 될 수 없는 노래

사랑은 비가(悲歌)를 데리고 다닌다
불면증에 시달리는 별들은 자꾸 반짝거린다
불안한 연가(戀歌)는 바람처럼 두리번거리고
한때의 저녁은 반쯤 휘어진 달이 뜨기도 했다
냇물은 슬프게도 졸졸 흘러가지만
흐르다 보면 사랑에 메마른 눈동자가 되겠지
기다리면 오는 것이 그리움이라고
세월은 그저 뒷짐 지고 있다가 물러서는 것
꽃 내음 그윽한 사람을 만날 수 있을까
지천으로 널린 새들이 고귀하게 지저귀고 있다
또다시 노래가 될 수 없는 노래를 부른다

통꽃의 백팔배

동백나무 저리도 각혈하면서까지
통꽃으로 백팔배를 눈물겹게도 하고 있다
슬퍼서 슬픈 것이 아니라 눈물 나서
가슴 쓰라리도록 슬픈 것이다, 깨달음은
번뇌가 되어 강물로 정처 없이 흐른다
활짝 핀 웃음 저 너머에 해처럼 지는 것은
어쩌면 나약한 사람일지도 모르겠다
이별이 반짝거릴수록 아쉬움은 밝게 빛난다
통째로 앗아간 마음 애써 잔을 비웠을까?
마지못해 한 잔 보낸 낮달 놓여 있다
동백나무 환한 불 밝힌 그 거리의 인연
끝없는 마음이 계속해서 흘러간다
꿈 가득 띄운 듯 구름 뭉게뭉게 숲을 이룬다
밀물처럼 밀려오는 차가운 겨울바람에
안개처럼 감싸이고 나면 기억을 잊을까?
폭설 속에 낳은 새알 같은 눈 뭉치를
차디찬 소식 담아 108번 던져 보고 싶다

능가사 앞, 시골집 식당

전라남도 고흥군 점암면 팔봉길,
가정식으로 백반 한 끼
허기진 속을 채우기에 안성맞춤인
능가사 앞, 시골집 식당

고향집에 온 듯 편안한 기분으로
비빔밥 한 그릇 뚝딱, 비우고
파전에 유자 향 가득한 동동주를
높이 올려진 낮달 잔 꺼내서 마시고 싶은
사내 한 사람 나무처럼 서 있다

포장도 가능하다니!
닭볶음탕이나 포장해 갈까?
도토리묵처럼
탱글탱글한 얼굴에 달린 입이 즐겁다

등대의 꽃 환하게 피어난다

허망스럽게도 버티고 버티던 해가 진
밤바다를 위로하는 듯 등대의 꽃
환하게 피어난다
바다는 파도를 철썩거리며
심심하지 않도록 노래를 부르고 있다
그리움을, 외로움을 방패 없이
홀로 막고 서 있으면 서러움이 반짝거린다
밤바람이 귓가에 던진 따뜻한 한마디
씨앗처럼 기쁨이라는 싹을 틔우고 있다
누군가의 안부가 몹시도 그리운 날
뱃고동 소리 떠난 지 이미 오래전이라
바다를 펼쳐서 흘린 눈물을 닦는다
해무 짙게 깔려 흐릿한 한 치 앞의 기억
기록한 적막은 꽃그늘에 짜디짜다
꽃을 적시는 비가 두리번거리고 있다
희망은 지지 않고 피어나려는데
수평선으로 외출한 밤바람이 돌아오는 길
환한 꽃을 보고 한달음에 건너온다
파도 겹겹이 진을 친 바다를 가르면서

팔영산 능가사 가는 길

바람에 날린 낮달이 떠 있다
삼면이 바다로 둘러싸여
쪽빛 하늘이 바다를 마주 보고, 발길 닿는
곳곳마다 흥겨운 파도 소리 들려온다
하늘 물 끌어온 듯 상쾌한 길목
이만한 무릉도원이 또 어디 있겠는가
뾰족한 이빨을 드러낸 고드름도
어느 순간 순박해지는 길을 걷고 있다
유자 알알의 향기마다 환한 그리움 스며들어
절 입구에 서 있는 키 큰 나무 한 그루
동종 소리 마중이라도 나오는 듯 달려 나온다
山門 앞에 서서 산사의 기운을 받는다
팔영산 휘돌아 나오는 바람의 입김이
오늘따라 매섭게 느껴지다가도
그마저 자비스러운 마음이라고 여긴다
낙엽이 합장하는 듯 포개어지고 있다

입 꽉 다문 유리문에 성에꽃이 피어날 때

입 꽉 다문 유리문에 성에꽃이 피어날 때
암흑 같은 삶 속 화려함은 물 건너가고
유리컵 속의 안부는 떨린 듯 찰랑거린다
구름 고사목 지대를 낮 동안 걷는 창백한 달
버려진 마음의 길은 수십 년째 비포장이다
추위도 잊고 가지마다 눈물을 맺힌 목련
활짝 피면 금방이라도 울 것만 같아서
별똥별이 떨어지던 날을 새삼스레 기억한다
성에 핀 듯 달 아궁이 차디찬 삶 꺼내 놓고
염불하는 듯 한참 동안 빛을 중얼거린다
메마른 그림자 끝내 밟고 지나갈 수 없어
아스팔트 길을 흘러가는 버스 안에서
외기러기처럼 홀로 눈물을 삼킬 때가 있다
열어 놓은 마음 창문으로 빗방울 들이쳐
인생의 한쪽 커튼이 축축하게 젖어 우는 듯
낮달 같은 빈 벌판을 걷고 또 걷는 기분
아직 모든 것이 서툴기만 한 첫 성에꽃 같다

거금도 삼성식당 한정식

전라남도 고흥군 금산면 거금일주로,
삼성리조텔 옆 삼성식당에
한정식 먹으러 가는 길은
바닷바람이 짜디짠 소금기 머리 풀어 헤치고
기다리기라도 한 듯 살갑게 맞이한다

15시간 정성 담긴 손길로
제대로 우려낸 갈비에
어우러진 순수한 국산 낙지를 곁들여
바다처럼 시원함과 담백함이 살아 있는
황칠 王 갈낙탕 뚝배기 한 그릇에
기운이 펄펄 샘물처럼 솟아날 것 같다

내 고향 거금도의 특산품 매생이를 넣고 끓인
굴 떡국을 한입 먹으면
올 한 해 따끈따끈한 소식만 들려올 듯

삼척 굴피집의 입춘(立春)

굴참나무의 껍질로 지붕을 얹은
굴피집에 홀로 사는 어르신의 입춘(立春)은
해마다 대길(大吉)이 옆을 지켜 준다
화전 농업을 본업처럼 여기며
살아가던 화전민은 하나둘 별똥별처럼
자리를 빠져나가고
이제는 나이 지긋하신 어르신만이
주름진 굴피집을 지키고 있다, 가끔 함백산의
도깨비가 자주 출몰해
어르신의 말동무가 되어 주기도 하며
땔감을 해 드리거나 물을 져 나르기도 한다
어르신의 백만 불짜리 미소 한 병이
마루에 얌전히 놓여 있다, 사람이 그립기도 하시겠지
만
때론 적적한 삶이라도
지나온 세월만큼 적응이 되었다고
인생 한 권을 펼쳐 넘기실 때가 종종 있다
가끔 산바람이 바닷바람을 만날 때면
시원한 소식을 불어오기도 한다
굴피집 서녘으로 아궁이 같은 노을이 환한

저녁이 아름답다
함박눈 불을 밝히는 긴긴 겨울밤을 나는
어르신의 삶을 넘겨 보면 눈시울이 붉어진다

모종

그 사람을 땅에서 하늘로 옮겨 심고 온 날 밤
눈부신 형광등을 끄고
별을 켜고 숫자 1처럼 드러누웠다
목차가 없어서
읽기가 몹시도 불편한 책 한 권처럼
사랑이고 뭐고 다 내동댕이치고 싶었다
봄이 되기도 전에
냉이를 캐서 된장에 조물조물 무치는 동안
물처럼 아래로 흘러갈 수도 없는 이 몸
그 사람은 사랑을 베고 깊은 잠이 들었을까?
아직 철거되지 않은 마음 부둥켜안고
유성우처럼 울고 또 울기만 해서 황폐해졌다
기다리던 그 골목 입구로 돌아갈 수 있을까
꿈속에서 너를 기다리는 잠깐이라도
고장난 가로등처럼 그저 고개만 숙이고
함박눈을 데리고 와서 또 펑펑 울기만 했다
옮겨 심은 그 사람의 향기가 돌아온다

빗방울을 씨앗처럼 뿌리는 지구 안에서

빗방울을 씨앗처럼 뿌리는 지구 안에서
솜사탕을 핥아 먹는 듯
조금씩 줄어드는 구름을 올려다보며
늑대처럼 눈동자를 굴리는 사람들
간밤 해골 같은 별자리를 보고
파격적인 세일 행사라도 하는 것처럼 놀랐다
외계(外界)에서 온 바람이 상점 안으로
블랙홀처럼 빨려 들어가는 것을 목격하고
또다시 소스라치게 놀란 사람이
용수철에 앉은 듯 재빠르게 문을 닫는다
맨홀은 동전 같은 뚜껑을 머리에 이고
벌서는 것처럼 땅속에 오랜 시간 앉아 있다
목련 봉오리가 활짝 열리기라도 하면
나는 두 손바닥으로 놀란 얼굴을 가린다
한 통의 엽서 같은 낮달을 부치고
서녘 하늘 붉게 물들도록 모닥불을 지핀다
과식이라도 한 듯 출렁거리는 바닷가에
가만히 서 있으니, 파도가 발등을 핥는다

목선 한 척

비바람과 파도에 낡고 썩은
목선 한 척이 방랑하며 떠밀려 온다
그것은 북두칠성 별들이 끌리듯
물결에 처량하게 끌려오는 듯하였다
냄비에 라면을 끓이려던
낚시꾼의 눈길이 그쪽을 바라본다
방금 잡은 물고기처럼 펄쩍 뛰는 눈빛
수면에 일렁거리는 낮달이
목선 한 척 같다
증발이라도 한 것처럼 목선은 사라지고
낮달이 파도 위에서
춤추듯 자꾸만 출렁거리고 있다
항해하던 명왕성처럼 표류라도 하면
떨어진 별똥별처럼 쓸어 담을 수 없다

영랑 생가

전라남도 강진군 강진읍 영랑생가길,
영랑 김윤식 시인의 생가가 있다
국가 민속 문화재로 지정되어 영랑은 없어도
발길이 닿아 구름처럼 몰려들고 있다
돌담 가의 작은 텃밭은 영랑이 일구던 밭인가
동백꽃이 시인의 시(詩)처럼 흐드러져
긴긴 겨울밤 환하게 등불을 밝히는 동안
시의 문장은 구름이 흘린 빗방울처럼 적신다
겨울 저 너머 벽 하나를 사이에 두고
봄이 살구꽃을 피우느라 옥신각신 다툰다
초가지붕에는 시인의 마음처럼
둥글둥글한 박이 주렁주렁 열렸겠다
바가지를 만들어 비빔밥을 비벼 먹었을까
모란이 피기까지는* 기다려 본 적이 없다
밤하늘을 반짝거리는 언어로 수놓았을까
부풀어 오른 보름달을 떼어 먹으면서

* 김영랑 시인이 쓴 시집.

먹구름 속의 장미 넝쿨

소년은 어느덧 자라 어엿한 청년이 되었다
나도 아닌 그렇다고 너도 아닌
누군가의 부재로 남아 먹구름 속의
가시 돋친 장미 넝쿨은 시처럼 뻗어 나간다
밤을 거꾸로 뒤집으면 길바닥에 깔린 별
자갈처럼 무심코 밟고 지나갈 수만 있다면
장미 넝쿨은 장미를 쉽게 내놓지 않는다
꿈을 꾸면 눈동자를 틀어 놓은 것처럼
주변은 온통 눈물의 바다라서 항해하고 있다
향기는 꽃이 흘리는 눈물이라도 되는 듯
그녀는 나에게로 와 비로소 여자가 되었다
거울 속에 아름다운 선녀가 있을까?
자꾸만 거울 앞에서 머리를 만지작거린다
슬픈 노래처럼 차가운 비가 내리고 있었다
그녀의 마음에서도 가장 변두리에 살고 있다

녹우

지난봄 버드나무 아래 서 있었다
녹음이 짙어 비처럼 쏟아지는 것 같았다
건네주는 거리의 우산도 마다하였다
별똥별 같은 버드나무 가지를 끊을 수 없었다
녹음이 내리면서 녹물이 적시는 거리에
꽃다발을 들고 우두커니 서 있었다
사랑은 바람이 물결처럼 넘실넘실 앗아가고
긴긴 겨울밤 같은 편지를 쓰며 울었었다
나는 언제나 물거품인 것처럼 살아왔었다
다시, 꺾을 수 없는 사랑을 손에 쥐고 싶은데
내 자리를 빛으로 침범하는 별똥별이라도
말 등처럼 쓰다듬어 주고 싶었었다
하지만 들려오는 것은 바람 소리뿐이었다
사막의 모랫길을 걷고 걸으면서
헤매고 또 헤매기라도 하는 것처럼

저녁에!

저녁에!
문득 어제 떠난 사람이 등불 켜
들고 오시는지
서녘 하늘 노을빛 일렁거리고 있다
한창 떠들썩하던 낙엽도
저녁이라도 짓는지 조용해졌다
소란스러운 바람이 자리를 훌훌 털고
일어나 움직인다, 숟갈을 들고
힘겹게 한술 뜰 때마다
하나둘씩 어린 별이 눈 뜨고 있다
저녁은 진행이 빠를수록 좋다
별자리처럼 이리저리 맴도는 생각
다소 차가운 겨울 거리를 묵묵히 걷는다
속도를 잊은 듯 느릿느릿

맑은 겨울날

해의 어깨에 목말을 탄 듯
주저앉아 있는 햇살이 내려온다
반나절 동안 갈팡질팡하더니
겨울바람이 어딘가로 불어가 보이지 않는다
눈물에 담은 그 사람처럼 녹아내린
눈사람이 서 있던 자리를 오래 쳐다본다
꽃길만 걷고 싶더라도
아직은 차디찬 눈꽃이 핀 거리를
걷고 있다, 아직 눈망울 채 열리지 않은 꽃나무
얼어버린 물소리가 어디선가 들려오고 있다
나무들의 청춘은 아직 오지 않았다
바닷가에서 만난 짜디짠 사랑
파도는 철썩거리면서 연가를 부른다
기다리는 것이 사랑이라도
한없이 기다리는 어리석음은 없어야 한다
낮달은 지금 슬프더라도
빛의 인연이 곧 닿기를 바라고 있다
내 눈빛이 너의 눈빛을 만난 듯 오늘은
맑은 겨울날이다

선달그믐날

음력으로 한 해가 다 가고
마지막 잎새 하나 지저귀고 있다
길고양이처럼 살금살금
달이 떠서 걸음을 옮기고 있다
한 해 동안의 미움도 버리고
노여움도 버리고 마지막을 놓는다
뚜벅뚜벅 새로운 한 해를 걸어
발길 닿는 대로 무작정 가는 동안
끝없이 삶의 찌든 때로 이어지는 길
빈 그늘에 열매처럼 주저앉는다
나뭇가지에 긁힌 상처 같은 기다림
문득 햇살 개고 비 오던 날 같다

겨울 원두막

텅 빈 적막만이 언 풍경을 핥고 있다
설날을 맞아 아이들이 연을 날리고
마치 한여름 수박이 열리기라도 한 듯!
연을 날리던 아이들이 올라서서
한숨 쉬었다 가는 그리움 삼킨 겨울 원두막
차곡차곡 쌓아 올린 구름 이불 뭉개진다
거나하게 한잔 걸치기라도 한 듯
대낮부터 휘청거리는 바람을
알아본 눈이 잔소리를 펑펑 퍼붓고 있다
퍼지는 햇살이 너무나 외로워 보여서
떡국 한 그릇 담긴 낮달이 떠 있다
꽁꽁 언 배추 한 잎, 한 잎 세던 아이들이
약속이라도 한 듯 같은 방향으로 가고
원두막은 또다시 나무처럼 서서
그림자 같은 흔적을 애써 지우고 있다
불량한 바람이 고래고래 노래를 부른다

겨울 밤길

이 별의 빛을 끄면
저 별의 빛이 켜지는 겨울 밤길
어둠의 침묵을 지키는 경비원 같은
가로등이 골목길을 비추고 있다
낮 동안 낮달을 띄워 조업을 일삼던 나날
지난 세월이 다 가도록
뿌리 뽑히지 않은 그루터기에 앉는다
옛집은 문패만 허리가 구부러져
비스듬히 기울어져 있고
기다림에 지친 달은 또 어딘가로
힘겹게, 힘겹게 빛을 옮긴다
소태처럼 쓰디쓴 인생 뱉어버리기도
당장 할 수 없는 노릇!
파도에 파도가 겹쳐 자꾸만 충돌하는 밤 해변
모래를 지그시 눌러 밟으며
그가 걸어가고 있다, 지난 폭설을
용케도 견딘 꽃망울이
가지마다, 가지마다 가느다란 실눈을 뜬다
훙얼거리며 불어오는 차가운 바람
아직 헐거워지기 전이라도 다소 포근해졌다

그나마 펄럭거리던 눈구름 지나가고
새벽까지 쉼 없이 달려온 설 귀성객들이
이제는 귀경객으로 기어가고 있다

겨울날에는 나무처럼 빈 둥지를 짓자

겨울날에는 나무처럼 빈 둥지를 짓자
바람이 불어오는지 구름이 일렁거리고 있다
날개 없이 날아가는 새 없듯이
마음 없이 살아가는 사람은 찾을 수 없다
해가 떨어뜨린 햇살의 속도는 눈 깜짝할 새
서녘 하늘 펼쳐진 노을을 자르는 어둠
밤마다 별들이 반짝반짝 자지러지게 웃는다
모국어를 잊고 왁자지껄 떠드는 새들
굴렁쇠처럼 달을 굴리면서 걸어가고 있다
의자 하나 지그시 내려다보는 눈빛의 침묵
열어 놓은 향수병에 그만 향수에 젖어 살다가
명절을 맞이해 모처럼 찾아온 고향 어귀
빈 둥지 하나를 올려다보며 한참을 서 있다
여기저기 떠돌아다니면서 이곳저곳 살피는
바람의 손길이 아직은 차갑게만 느껴진다
큰 시곗바늘과 작은 시곗바늘이 껴안는 동안
왠지 기적이 일어날 것만 같아 두근거린다
철새가 모래시계 속 모래처럼 날아간다

이 세상의 간이역

이 세상의 간이역은 많기도 하다
우선 저 하늘의
빛도 머무르지 않고 본체만체 지나치는 낮달
잠시 잠깐 산짐승이
메마른 목만 축이고 가는 옹달샘
그래도 이 기찻길 가에 피어나는 코스모스
해마다 맛깔스러운 웃음 버무려 주는
그대의 체온이 뜨거워지는 무더운 여름날
밤안개 속에 피어난 안개꽃도 한순간!
가로등 하나처럼 눈에 불을 켜고
올 생각도 하지 않는 詩를 기다리고 있다
명절인데도 그 누구도 찾아오지 않아
나 또한 짤막한 기차 한 줄
멈추지 않는 간이역이 아니겠는가
눈동자에 그대 입술 찰랑대기 전에 마신다
멀리서 바람이 두드리는 풍경 소리
들려오는 듯 오래된 습관처럼 두 손 모아
남은 겨울 잎새 떠나보내는 간절한 마음
달의 뒤편으로 돌아앉아 빛으로 울고 싶다
나라는 간이역을 그대라는 사람이 스친다

농심(農心)

농부의 마음을 잘 아는 농심
그래, 나는 농심에서 나오는 제품을 선호한다

추운 겨울밤의 나날들
야광 같은 별을 띄우고 농심을 끓인다
냄비째 삼킬 듯 후루룩 쩝쩝
동백이 통꽃으로 떨어지는 눈이 부신 밤이다

긴긴 겨울밤에는 국민 간식 새우깡을
한 손에 집어 와작와작 씹어 먹으면
지나간 그리움도, 외로움도 한 움큼 부서진다

어둠 속에서 피어나
눈동자에서도 지지 않는 별처럼 반짝거리며
농부의 마음을 헤아리는
고구마깡이며, 감자깡을 씹어 먹는다

깡이라도
한 마리 키울 수 있을 것 같다

설날 대체공휴일에

설날 연휴 지나고 대체공휴일
차가운 햇살이 고봉으로 쏟아진다
입춘 지났다고
봉래산 복수초는 앞다투어 와인 잔을 내민다
야간 수업을 마친 달이 낮달로 하교하고
비행운을 타고난 바람이 날아다니고 있다
손으로 편지 쓰는 시대는 지났지만
아직도 그리운 시절 때문 손 편지를 쓴다
방금 잠 속에서 걸어 나와 몽롱한데
간밤 꿈이 범람하여 철철 넘쳐흐르고 있다
반복해서 속삭이는 사랑이더라도
매몰차게 걷어차 버리는 사람이 있다고
어디선가 꿈결처럼 들은 것 같은데,
살얼음 깨지는 듯 마음 시리디시리다
눈동자 수면에 그대라는 꽃
잠시 활짝 피었다가 진다, 일렁거리면서

간이역 흐르네

간이역 흐르네
메마르지 않은 듯 이따금 기차가
강물처럼 흘러가고 있네
기적 소리 졸졸 소리 내지 않네
가을이면 기찻길 옆 코스모스
꽃잎 키스 자국처럼 길바닥에 묻어 있네
간이역 흐르네
건들거리며 흘러가네
밝은 세상에서 어두운 터널을 향해
꿈틀꿈틀 기어가고 있네
삶의 풍경 소리 단 한 번이라도 울리지 않네
이 간이역에서 저 간이역으로
자물쇠를 잠그듯
철커덕철커덕 옮겨 가는 동안
금방이라도 해가 저물어 갈 것 같네
간이역 흐르네
철길을 닦으며 기차가 흘러가네

그 나무

한동안 우두커니 한 곳만 바라보던
그 나무는 한참 만에
찰칵, 낙엽 한 장 떨어뜨렸지요
부모 손잡고 나들이 나온 아이의 얼굴처럼
불그스름하게 물들어서는
카페 서녘 창가에 엎질러진 노을 같았을까요
뿌리 사방으로 뻗어나가
추억의 지평선까지 다가가고 싶었겠지요
천지간에 아름다운 독사진 한 장
남겨 놓기라도 했었을까요
눈 오는 날 펑펑 울어보기만 했을 뿐
간절한 그리움은 어느새 녹아내렸었지요
혼자 밥 먹을 수 있는 식당 간판을 찾아
거리를 헤매고 다니던 시절
문득 낮달처럼 반쯤 떨어져 나간 채 떠올라
눈 감고 잠시 하늘만 올려다보았지요
식용 꽃처럼 향기로운 맛이 또 어디 있을까요
울며 겨자 먹기라고 했던가요
실컷 울면서 겨자소스를 먹는 기분이네요
낙엽 한 장 다시금 바스락거리고 있어요

뚝섬 유원지의 밤

낮 동안 밀물처럼 밀려와
초봄 같은 하루를 즐기다 썰물처럼
다 빠져나간 밤에
별들이 빛으로 내려오더니
반짝반짝 수다를 떠느라 시간 가는 줄 모른다
낮에 빛을 잃고 시름시름 앓던 낮달이
어느새 기운을 차려 빛을 가득 채우고 있다
평일보다도 주말이 더 시끌벅적한
유원지는 곧 다가올 봄을 기다리는 눈치!
으르렁거리지도 않고 주저앉지도 않고
네 다리로 끝까지 버티고 있는 벤치
바람이 앉을 것처럼 한차례 훑더니 그냥 간다
사랑처럼 서서히 기울어 가는 저 달의 빛
언제까지나 기다릴 수 없는 노릇!

간이역에서 간이역으로

간이역에서 간이역으로
가는 그 길 위에
카페라테처럼 구름이 떠 있고
떠 있다가 산마루에 걸터앉기도 한다
마음의 둘레길에는 난초 두 촉
연인처럼 푸르디푸르다
서녘 식당에서 한 냄비 끓인 노을
앞에 놓고 마주 앉아 그리움 나눈다
한 번도 울어본 적 없는 구름이
빗방울이라도 흘리기를 바라고 있다
기차 창밖을 보며 덜컹거리는 몸
가눌 수 없는 인생 한 잔
한 모금 마시는 동안
또 다른 간이역을 스쳐 지나간다

먼 데 바라보지 말고 가까운 곳을 바라보라

먼 데 바라보지 말고 가까운 곳을 바라보라
낮달 하늘에 띄워 느릿느릿 흘려보낸다
길거리에는 목마른 잎새들이 바스락거리고
쓸쓸한 바람이 그 속으로 조용히 파고든다
네가 다가오기 전에 내가 네게로 가는 길은
간이역을 지나치는 긴긴 기차와도 같다
봄을 부르면서 내려오는 빗소리가 싱그럽다
해는 고기 잡는 일에 빠져 작살을 던진다
구름 같은 눈썹을 들썩거리면서 울고 있다
꽃봉오리를 들어 너의 눈물을 한 잔 마신다
천 년 동안 실로폰 두드리듯 같은 빗소리
빛이 마른 낮달처럼 마음속 사랑도 마르리라
꽃 옆에 차곡차곡 쌓아 올려진 향기 때문!
애절한 사연 한 장도 그냥 지나치는 간이역
오려거든, 봄날 물결처럼 너울너울 오너라

고흥 아름식당

전라남도 고흥군 고흥읍 고흥로,
봄기운 한 자락 몰고 오는 바람결에
텅텅 비어 허기진 몸 가누지 못해
서둘러 들어선 읍내 밥집 아름식당

먼 구름처럼 아득하게 식욕이 당긴다
물결처럼 넘실넘실 기웃거리는
저 바람 너무나도 몰라보게 포근해져
왠지 대패로 깎은 듯한 삼겹살 같다

무엇을 먹어야 할지,
아름아름 망설이는 손님에게
보글보글 끓이는 소리부터 맛깔스러운
주물럭 백반 한 냄비 내온다

통영 도남항 등대

땅거미 스멀스멀 기어 내려와
어둠을 얼기설기 짜놓으면
펜 끝에 빛 잉크 환하게 묻혀 반짝반짝 쓴다
밤하늘 가득 털썩 주저앉은 글씨
기다림의 끝이 수평선 가까이 철썩인다
매몰찬 바닷바람 어디론가 불어 가고
외로움 차오르던 갯바위는
서서히 그 마음을 그대로 드러내 놓는다
낮에 바닷물을 온몸 가득 뒤집어쓴
그 갈매기는 어디로 날아갔을까?
어두워지길 기다렸다는 듯
빛 웃음 마구마구 플래시를 터뜨린다

후천성으로 너를 만나고 그리움을 앓는다

푸른 하늘 단식하는 듯 구름만 홀짝인다
간밤 달이 빛 질질 흘리면서 쉬어간 오솔길
햇살처럼 얼음이 녹아내리고 있다
벗도 없이 바스락바스락 날아가는 잎새
그의 사랑은 아직 어려서 보잘것없을 뿐,
첫닭이 울면 만나자는 약속도
새벽잠 많아 노를 저어 물 건너갔다
오늘 아침에서야 참새가 깨워 주는 생각
부리나케 머릿속에 집어넣고 갈 곳을 찾는다
추억 한 잔 단숨에 마시고 나오는 길
꿈속인 듯 높은 곳에서 하산하는 햇살 맞으며
봄꽃보다 먼저 마음 활짝 피어나고 싶다
불어오는 바람은 풍선처럼 말랑말랑하면서
구름처럼 뭉게뭉게 부풀어 올라 힘이 있다
너와 나의 경계선마다 풀꽃이 피어난다
후천성으로 너를 만나고 그리움을 앓는다

속으로 울음을 삼킨다

징징거리며 보채던 종은 어느새
속으로 울음을 삼킨다
구름은 멀기에 아름답게만 느껴진다
하늘을 날개로 떠받들고 저울질하는 새들
저들의 노랫소리가 시비를 걸고 있다
수정처럼 빛나는 사람이 걸어간다
눈먼 낮달이 반쪽이 되어 훌쩍거리고
날갯짓에 누군가의 허물이 발아래 쌓인다
빗물처럼 마음에 스며드는 사랑
아침마다 홀로 눈을 떠 슬픔을 말아 먹는다
손가락 고리 걸고 싶어도 고리 걸 수 없는
그 이유가 고스란히 마르고 있다
고리 걸고 꾹꾹 약속하는
토성의 하루가 모래알처럼 반짝인다

우수(雨水)

하늘에서는 비가 내리고
땅은 싹을 틔우니 우수(雨水)인가 보다
잠자던 나뭇가지도
이맘때 꽃눈을 뜨고 두리번거리지
물결과 물결 사이에 그물을 심는 어부들
마음껏 웃어본 적이 언제였던가!
까마득하다, 해가 햇살 웃음 뿌려놓고 갔다
구름은 오늘따라 우중충한데
빗줄기 그으면서
두드리는 빗방울의 내재율에 설렌다

빛나는 편지

누가 달에 빛으로 편지를 써 놓았을까
쩡쩡 갈라지는 얼음 아래에서
지느러미를 움직이는 물고기가 있다
바람에 낙엽 달아나는 소리 바스락거린다
마음이 그리운 까닭에 몸이 움직인다
아무도 가지 않는 무인도이지만
강물이 흐르는 것처럼 달빛이 내려온다
마려운 추억을 잠시 참아가는 동안
화분을 들이며 날이 어두워지고 있다
별이 하나둘씩 눈을 뜨기 시작한다
얼음을 깨고 늦은 인사라도 하는 낚시꾼
물고기는 그 눈빛을 연신 뻐끔거린다
낮에 봄이 가득 담긴 낮달이 기울어져
포근한 봄기운이 흘러 내려오기도 했다
외롭더라도 높기도 하고 쓸쓸하기도 하여
가까이 다가가고 싶은 마음 앞장서
별과 별의 사이처럼 어둠이 채워진다
사랑에 실패하고 전전긍긍하던
바람이 불어오는 길에 향기로 무장한 꽃
절대 부칠 수 없는 편지라도 봄날 같다

댓잎 길을 걸으며

빛 잔뜩 젊어지고 허리 휘어진 달
간밤 먹구름에 보이지 않아
길바닥을 닦듯 쓸쓸히 걷는 길
빗물 머금고 흩어진 댓잎을 내려다본다
아차, 함부로 밟으며 걸어왔구나!
납작납작 엎드려 모자이크를 만들었다
마음속 한구석에 댓잎 나부끼고 있다
눈물처럼 댓잎 떨어뜨린 꺽다리 대나무
붙잡고 흔들어 보는 바람 소리 지겹다
지천으로 널린 댓잎처럼 마음 푸른 사람
이 길 끝에 대나무처럼 서 있을 듯!

오천 바다 마을 해변의 공룡을 찾아서

고흥군 금산면 오천 바다 마을 해변에
알을 셀 수 없이 낳아 놓고
어디론가 감쪽같이 사라진 공룡을 찾아서
두 다리를 길 위에서 노를 젓는다

공룡을 찾지 못하고 두리번거리는데
날아다니면서 비웃듯 끼룩거리는 갈매기
마을 사람들은 밭에 나갔거나,
개펄에 나갔거나, 가려운 듯 철썩거리는
바다만 푸른 얼굴로 기가 살아 있다

파도가 날름거리면서
공룡알을 한입에 삼킬 듯이 핥고 있는데
수평선 너머로 바닷바람이 행차하신다
무법자 같은 파도가 뒤로 물러설 것 같다가도
짖는 개처럼 좀처럼 물러서지 않는다

이 바다 가까이 있는
박치기왕 고향 마을에서 내가 태어났다
공룡알은 언제쯤 부화할까,

기다리는 동안
몽돌을 방석 삼아 앉아 있다

안개 속에서

걸으면 걸을수록 안개는 짙어졌고
우리는 낮달처럼 벗어 던지려고 했다
터진 빵 봉지의 부스러기처럼
여기저기에서 기어 나오는 앓는 소리를
들어주는 사람은 한 명도 없었다
인적이 드문 산골짜기에서는
메아리가 방귀 뀌는 소리처럼 들려왔다
안개 속에서 빗방울은 이따금 머뭇거렸고
우리는 밀치면서 앞으로 나아가고 있다
가로등은 눈만 부릅뜨고 서 있었다
얇게 회 뜨기라도 한 것 같은 안개가 걷히길
기다리는 사람 사이에 도미노처럼 있다
온몸을 휘감고 강물처럼 흘렀다
있는 정, 없는 정 다 쏟아붓기까지 시간은
흐르고 또 정처 없이 흘러가고 있었다

봄이 오는 거리의 단비

봄이 오는 거리의 단비
마음 하나라도 축축하게 적신다
낮달은 먹구름 속에 가려진 지 오래
고독 한 그루에 잎새 몇 앉아
눈물 같은 비를 맞는 싱그러운 하루
변산바람꽃 피어 귀를 쫑긋 세우고 있다
가끔은 광대처럼 느껴지는 낙엽
떨리는 사랑에 기대어
바스락거리며 애써 울음 지저귄다
온종일 봄기운 실어 나르는
바람의 손길이 사뭇 진지하게 포근해졌다
들판 내달리는 어린 새싹 파릇파릇
생기가 흘러서 넘쳐나고 있다
기다려도 오지 않던 비가
기다리지 않아도 내게 오는 오늘 같은 날
다디단 사랑 속삭이는 작은 새를
나비 쪽지라도 되는 듯 기다리고 있다
빗물 흐르는 풀잎마다
작은 희망이라도 머금은 듯한데

아침이면 참새가 내 시(詩)를 노래한다

아침이면 참새가
내 시(詩)를 노래한다
그냥 지저귀는 것처럼 들리겠지만
시끄러워서 도저히 못 듣더라도
간밤 달이 흘려보내 준 빛이 스며든 시(詩)
강물처럼 흐르듯 귓가에 넘실거린다
꽃잎 엽서 한 장
바람에 향기를 건네준다
푸른 하늘 그리움에 때론 현기증이 난다
서녘에 젖은 노을을 펼쳐 놓고
마르기를 팔짱 끼고 기다리는 동안
금세 달 눈썹 기울어져 추억을 반짝거린다
사랑하면 선해지고 환해지니
아무 나뭇가지라도 붙잡고 하소연할 일
별 하나 눈빛 보내는데
내겐 너무 멀기만 한 사랑이기에
시(詩)처럼 아름다운 인연을 만나기까지
거금도 적대봉 오른 봉화처럼 환하리

봄날 서정

때는 바야흐로 봄이 나비처럼 날아와
꽃잎이 되어 뒹굴어 다니니
막이 오른 아침의 사람들 뒷배경도 꽃 천지다
약속한 적 없는 봄바람이 방문하여
콧등에 앉아 살랑거리니 나도 어쩌지 못해
발길 닿는 대로 걸어가서
나뭇가지에 앉은 새처럼 벤치에 앉는다
도심을 가로지르는 작은 천(川)도
빗물 맞으러 나온 지렁이처럼 꿈틀거리고 있다
한 줄기 햇살 따라 따스한 미소 날려주는
목련 곁에 꽃봉오리 환해서 착하디착해진다
꽃이 지면서 어쩜 그리 마음을 닮아내는지
참신한 여자의 마음으로 피었다가 지는구나
하늘 정중앙에 헤엄치는 해의 비늘
떨어지는 내내 포근한 생각 아른거린다
땅속에서 스프링을 달기라도 한 듯
새싹이 한창 쑥쑥 실룩거리며 나오고 있다

간이역에서 간이역으로

발 행 | 2024년 2월 22일
저 자 | 정민기
펴낸이 | 한건희
펴낸곳 | 주식회사 부크크
출판사등록 | 2014.07.15.(제2014-16호)
주 소 | 서울 금천구 가산디지털1로 119, SK트윈타워 A동 305호
전 화 | 1670 - 8316
이메일 | info@bookk.co.kr

ISBN | 979-11-410-7315-2

www.bookk.co.kr